Nisse va chez le coiffeur

Traduit du suédois par Florence Seyvos

Édition originale publiée en 1991 par Raben & Sjögren Bokförlag, Suède,
sous le titre: « Nisse hos frisören »
Loi n° 49 956 du 16 juillet 1949 sur les publications
destinées à la jeunesse : septembre 1992
Dépôt légal : février 2001
Imprimé en France par Aubin Imprimeur à Poitiers

Olof et Lena Landström

NISSE VA CHEZ LE COIFFEUR

l'école des loisirs
11, rue de Sèvres, Paris 6^{e}

Nisse doit aller chez le coiffeur.

Maman veut que Nisse soit beau
pour la fête de fin d'année de l'école.

Elle laisse Nisse au salon de coiffure,
et va faire ses courses.

En attendant son tour, Nisse regarde des magazines.
Il ne voit rien d'intéressant.

Si. Il y a une photo qui lui plaît beaucoup.

Son tour est arrivé.

« Comme sur la photo ! » dit Nisse.

«Hmm», fait le coiffeur.

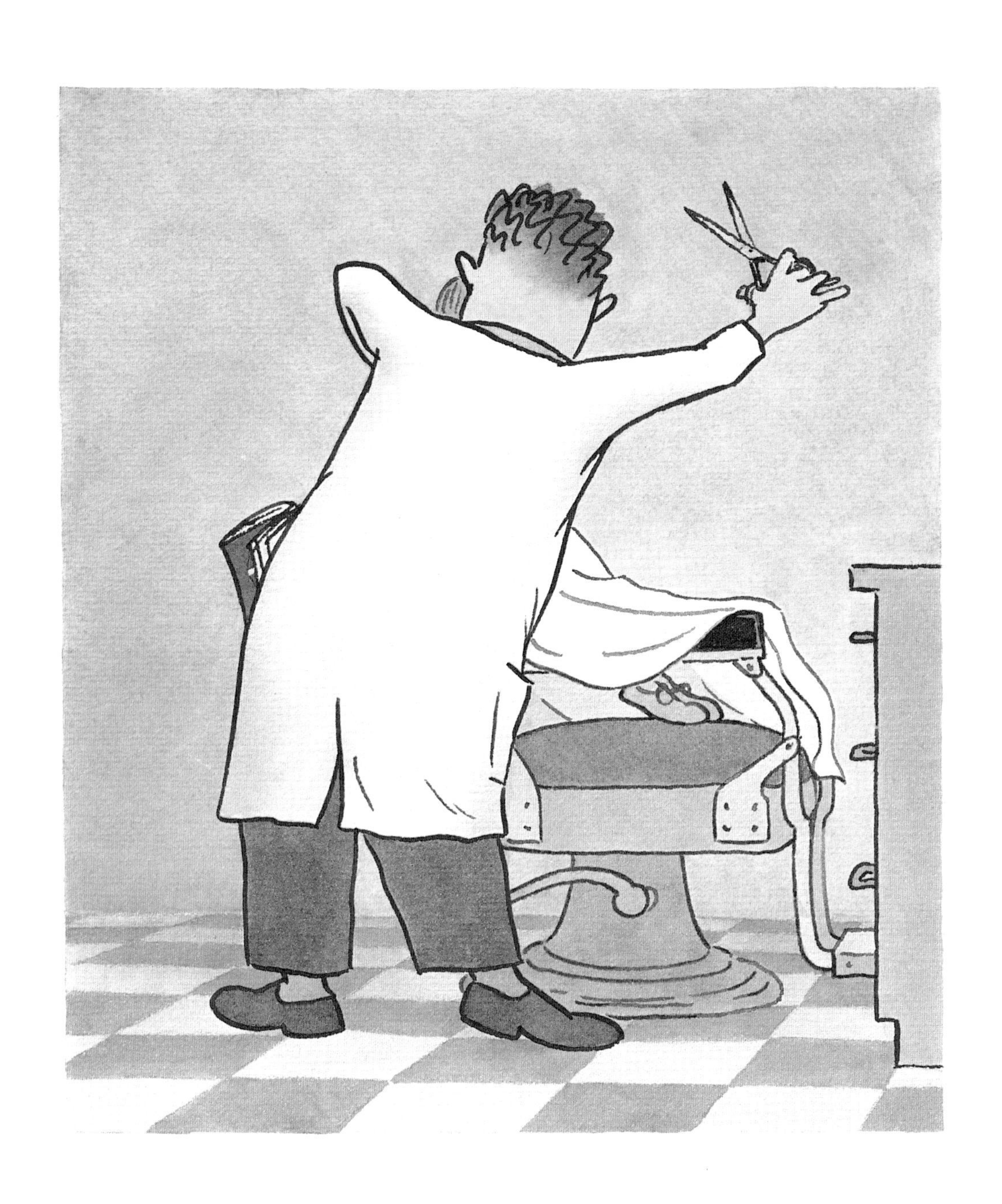

Et il commence à couper.

Il coupe, et coiffe, et recoupe…

Et recoiffe, et vaporise.

Ça y est, il a terminé.
C’est exactement ce que Nisse voulait.

« Aïe ! » dit maman.

Nisse est content.

Mais maintenant, il faut se dépêcher
pour ne pas arriver en retard à la fête de fin d'année.

Ça va bientôt commencer.

Maman et Nisse se mettent à courir
en arrivant près de l'école.

Ils arrivent juste à temps.

Tout le monde est déjà là.
« C’est toi, Nisse ? » demande la maîtresse.

« Ça te va vraiment bien », chuchote Siv.

Quand ils ont fini de chanter, la maîtresse fait
un petit discours. Ensuite tout le monde se dit au revoir.

Dans la cour, Nisse doit expliquer comment le coiffeur a fait.

Sur le chemin du retour, maman demande à Nisse
ce qui lui ferait plaisir. Nisse aimerait bien une glace.

Il se décide pour une glace à la fraise.
Maman prend la même chose.